This Winter
ディス・ウィンター

OK

This Winter
by Alice Oseman

First published in English in Great Britain
by HarperCollins Children's Books,
a division of HarperCollins Publishers Ltd. under the title
THIS WINTER

This edition published by arrangement with
HarperCollins Publishers Ltd, London
through Tuttle-Mori Agency, Inc., Tokyo

「これではっきりしたわ」とジェインはいった。「あのかたがこの冬にはもうお帰りにならないってことが」

――――『高慢と偏見』ジェイン・オースティン

（河出文庫・阿部知二訳）

本書には、精神疾患や摂食障害、自傷行為に関する描写や言及があり、一部に精神疾患に関する誤った見解が含まれています。ご自身の判断で、安全に配慮してお読みください

Victoria Annabel Spring,
ヴィクトリア・アナベル・スプリング　16歳
Age 16

トリ

眠りについた二時間後に目を覚ます。クリスマス・イブのわたしの睡眠時間は年々減少しているみたい。それは眠りにつく時間が年々遅くなっているからで、さらにそれはかなり深刻なインターネット依存のせいだ。このままいくと、いつか眠るのを完全にやめてヴァンパイアになってしまうかも。案外そのほうがうまくやれるかもしれない。

だけど、今は自分の睡眠パターンに不平を言うつもりはない。だって今日はクリスマスで、一年のうち今日くらいは、どんなことにも文句を言わないよう心がけるべきだから。そうは言っても、朝の六時に、七歳の弟に枕で顔を殴られながらその心がけを実行するのはむずかしい。

わたしは〝やめてよー〟的なことを口の中でもごもご言って、毛布の下に逃げ込むけど、オリバーはかまわずベッドにはい上がってきて毛布をはぎとる。

「トリ」オリバーがささやく。「今日はクリスマスだよ」

「うぅ……ん」

「起きてる?」

「起きてない」

「起きてるじゃん」

「起きてない」

「トーーリィー!」

「オリバー……チャーリーを起こしておいで」

「ママがだめだって」オリバーはわたしの髪をくしゃくしゃにしはじめる。「ねえ、トリってばー」

「うーん……」寝返りを打って、目を開ける。オリバーが毛布の中にすっぽり入ってわたしを見つめ、タンポポの綿毛みたいに髪を逆立てて、楽しそうに手足をばたつかせている。オリバーと自分たちがきょうだいだなんて、どうしてそんなことがありうるんだろう。チャーリーとわたしは、そんな話をこれまで何度もしてきた。

オリバーは元気いっぱいを絵に描いたような存在で、わたしたちふたりはその対極にいる。きっと、オリバーが元気の遺伝子を総取りしたんだ、というのが、わたしたちが最終的に出した結論だ。

オリバーの手にはクリスマス・カードが握られている。

「どうしたの、そんなもの持って――」

オリバーがカードを開くと、いらっとするほど陽気な「おめでとうクリスマス」のメロディーが耳に飛び込んできた。

うめき声を上げて、片手でオリバーをベッドから押しのけると、弟は床に転がってけらけら笑いだす。

「かんべんしてよ」たまらず起き上がってベッドサイドのライトをつけると、オリバーが「やったー！」と叫ぶ。部屋の中をぐるぐる回りながら、カードを開いたり閉じたりするものだから、最初の二音だけが何度もリピートされる。

わが家では、クリスマスはそれなりに楽しいイベントだ。とくに派手なことはせず、穏やかに過ごす。父さんはいつも〝春《スプリング》のクリスマス〟なんて言って、うまいことを言ったつもりで悦に入っている。朝起きたらプレゼントを開けて、昼になると親戚たちがクリスマス・ディナーにやってきて、夜遅くまで一緒に過ごす。ただそれだけ。わたしは弟やいとこたちとテレビゲームをして、父さんはいつも酔っ払い、スペインのおじいちゃん（父さんのお父さん）とイギリスのおじいちゃん（母さんのお父さん）はきまって口論をはじめる。そんななんてことない平和な一日だ。

でも、今年のクリスマスはいつもとちょっと違う。十五歳になる弟のチャーリーが摂食障害を患っている。平たく言えば、拒食症だ。昔から拒食ぎみだったけど、数か月前からとくにひどくなった。そのストレスのせいで、十月には自傷行為が再発した。それで、数週間家を離れて、精神科の病院に入院することになった。そこは摂食障害を持つ十代の若者の治療に特化したところで、間違いなく役に立ったけど、それでもまだつらい時期は続いている。はたから見てもそれはわかる。

チャーリーがそこまでの状態になったことに、特別な原因があったとは思わない。そういうことは起こるときには起こる。癌とか、ほかのいろんな病気と同じように。だから、それはチャーリーのせいじゃない。ほんとうのことを言うと、そこまでひどくなったのはわたしのせいじゃないかと思っている。弟の様子がおかしいことに気づいたとき、両親に話さなかったし、本人にどうしたのかとも尋ねなかった。ちゃんと話をすることも、手を差し伸べることもしなかった。

だけど、今日問題なのはわたしの気持ちじゃない。両親のことでもない。クリスマスは摂食障害のある人にとってはストレスの多い日だ。なにしろ、食事が一日の大きなパートを占めるのだから。チャーリーはそのことをずっと不安に思ってきた。そして、そのストレスのせいで、この一週間は、ほとんど毎日母さんと口げんかをしたり、部屋に引きこもったりしてきた。

だから、今日はチャーリーをサポートすることに全力を注がないと。

わたしは携帯を手に取って、いくつか届いている通知は無視して、親友のベッキーにメッセージを送る。

両親は、七時三十分までは起こさないでと言っていた。今は六時十七分。起き上がってカーテンを開けるとまだ真っ暗で、街灯の光があたりを黄色く照らしている。ベッドに戻ってラジオをつけると、静かな賛美歌が流れてくる。よかった、「恋

トリ・スプリング
(06:16) ハッピー・クリスマス。きょうだいがいないことに感謝しなさいよ。わたしはオリバーに枕を投げられて もうくたくた。あなたは快眠を楽しんで。じゃあね xxxxxxxxxxxxxxx

人たちのクリスマス」じゃなくて。オリバーはわたしの勉強机の椅子でぐるぐる回り、ラジオでは聖歌隊が「きよしこの夜」を歌っている。また、まぶたが重くなってきた。しばらくすると、オリバーがベッドにすわるわたしのとなりにやってくる。カードは、床に折り重なった服の上にほうり出されている。六時二十九分、六時四十二分、六時五十五分……オリバーがわたしの髪を引っ張って、話しかけてくる。どんなプレゼントをお願いしたかとか、サンタは僕たちが置いたビスケットを食べたかな、とか。わたしは何か答えるけど、何を言っているか自分でもわからない。やがて眠りの波がまた寄せてきて……。

そのとき、ドアの開く音がする。

「……ヴィクトリア?」

わたしは今日十回目の目を覚ます。薄明かりの中、ネイビーのアディダスのスウェットシャツとチェックのパジャマのズボンを着て、戸口に立つチャーリーが見える。疲れた顔をしているけど、笑みを浮かべている。「起きてる?」

「いいえ、今、幽体離脱中。ここにいるのはわたしの抜け殻よ」

チャーリーは鼻で笑って、部屋に入ってくる。わたしは、肩にもたれて眠っているオリバーをひじでつつく。オリバーは、はっと目を覚ましてチャーリーを見る。

「チャーリーだ！」そう叫んでベッドから飛びおりると、チャーリーをひっくり返すくらいの勢いで脚に突進する。

チャーリーは笑って、いつものようにオリバーを赤ん坊みたいに抱き上げて、くすくす笑わせる。「もうばっちり起きてるね」

「ねえ、一階に行ってもいい？」

チャーリーはオリバーをわたしのベッドに運ぶ。「まだだよ。母さんは七時半って言ってただろ」

「ぐわぁー」オリバーは、チャーリーの腕の中で身をよじり、わたしのとなりに着地するとすぐに毛布の下にもぐり込む。チャーリーはそのとなりにすわって、ヘッドボードにもたれる。

「もう、あんたたちったらウザすぎ」そう言いながらも、自然と顔がほころんで、わたしも毛布にくるまる。

「ふたりとも、自分のベッドでおとなしくしていられないの？」

「姉さんをウザがらせるのが僕たちの仕事なんだ」チャーリーがほほ笑む。「これっ

てラジオ4？　どうしたの、教会音楽なんて聴いて」

「朝っぱらからマライア・キャリーよりはマシでしょ」

チャーリーは笑う。「たしかに」オリバーと同じように前髪がつんつん立って、目の下には紫色のクマができている。もはやクマのない顔を思い出せないくらいだ。でも、それを除けば、手脚がひょろりと長くて穏やかな、いつもどおりのチャーリーだ。

「二時間くらいしか寝てないんだからね」わたしは言う。

「同じく」ただ、チャーリーの睡眠不足の原因は、わたしと同じじゃないはず。

「ねえ、七歳のときサンタクロースにいくつプレゼントをもらった？」オリバーが尋ねる。今はベッドの上でぴょんぴょん跳びはねている。チャーリーとわたしは笑う。

「七つ」とチャーリー。「年の数と同じだけもらえるんだ」

「じゃあ、八十歳になったら、八十個もらえるの？」

「いい子にしてたらね」

チャーリーに胸を突かれてベッドに転がされたオリバーが、満面の笑顔になる。

「八十歳になるのが待ちきれないよ」

「僕もだよ」

チャーリーが戻ってきてよかった。わたしとオリバーと母さんと父さんだけのときは、なんだか落ち着かなかった。オリバーはまだ小さくてちゃんとした話ができないし、両親はきらいなわけじゃないけど、打ち解けてなんでも話せるという雰囲気ではない。母さんは、深い話や精神的な話は避けたがるところがある。父さんも同じだけど、本の話をしょっちゅうすることで、その埋め合わせをしている。家族みんな仲良くはしているけど、大事なことは一度も話したことがない気がする。

両親は、チャーリーが適切な治療を受けている今も、摂食障害についてオープンに話したがらない。ほんとうは、いろんなことが少しずつ変わって、心の問題やなんかをフランクに話し合えるようになると期待していた。

でも、そうはならなかった。

「自分がおじいさんになったところを想像できるかい？」チャーリーが年寄りっぽい声で言ってにっこり笑うと、オリバーはくすくす笑ってまたとなりにはい上がってきて、わたしたちは並んでヘッドボードにもたれる。チャーリーの笑顔はみんなを楽しくさせる。

弟たちは〝アイ・スパイ（モノ当てゲーム）〟をはじめる。今日は家族全員にとってむずかしい日になるだろう。だけど誰にだって大変な日はある。昔は、大変でもたいくつよりはましだと思っていた。だけどそうでないことが今はわかる。この数か月、数えきれないほど大変なことがあった。あんな思いはもうたくさんだ。

「ハッピー・クリスマス」チャーリーが唐突に言う。オリバーにもたれて、わたしのほうに身体を寄せてくる。わたしも身を乗りだして、チャーリーの肩に頭をのせる。ラジオから音楽が流れ、太陽が昇りはじめている。それとも街灯の明かりだろうか。この数か月のことを考えるのはやめよう。チャーリーを助けられなかったという思いも、悲しい気持ちも、ぜんぶ締めだしてしまおう。せめて今日一日くらいは。

「ハッピー・クリスマス」わたしも言う。

寝ないでおこうとがんばるけれど、また睡魔が襲ってくる。オリバーの笑い声が耳の中に響いている。

★

十二時十分前、わたしとチャーリーはパジャマのままソファにすわって、最新版のマリオカートをプレイしている。ほんとうはオリバーがもらったものだけど、オリバーはいろんな人から山のようにプレゼントされたおもちゃのトラクターで遊ぶのに忙しい。

わたしは両親から新しいノートパソコンをもらい、チャーリーは新しい携帯をゲットした。どちらもリクエストしていたものだ。両親はサプライズのプレゼントはめったにしない。チャーリーとわたしはこれまでプレゼントをやりとりすることはあまりなかったけど、今年は、わたしからは寝室に置くブルートゥース・スピーカーを、チャーリーからはウェンズデー・アダムスのイラスト入りのラップトップ・ケースを贈り合いっこした。わたしたちは、思ったよりもお互いのことをよくわかっているみたい。

「気のせいかもしれないけど、このバージョンって前のやつより異常にむずかしくない？」わたしはチャーリーに言う。

彼はベビィマリオを操ってカーブを曲がろうとして、コースをはずれて崖から飛びだしてしまった。「まじで、ムズいよ。マリオカートは得意なはずなんだけど」

わたしはクッパを木に激突させ、最下位に沈む。「レインボーロードにトライしてみる？」

「どうかな。正直、僕の自尊心がそのリスクに耐えられるとは思わないけど」

「言うわね」

チャーリーは鼻で笑う。「リアルすぎ？」

「ちょっとね」

「あなたたち」母さんが部屋に入ってくる。素敵なパープルのドレスを着て、髪をカールさせて、すっかりクリスマスの装いだ。母さんはいつもわたしたちにクリスマスらしいきちんとした格好をさせようとする。ソファで十二時間だらだら過ごす以外に、することがあるでしょと言わんばかりに。「いつになったら着替えるつもり」

チャーリーが黙っているので、わたしが答える。「うん、もうちょっと」

「急ぎなさい。あと三十分でみんな到着するんだから」

「わかった、このステージが終わったらすぐ着替えるから」

母さんが部屋を出ていき、わたしはチャーリーを横目でちらっと見る。さっきから画面から目をそらそうとしない。今日はまだ母さんと口論はしていないと思うけど、一触即発の気配がする。正直、わたしも母さんにはちょっと腹が立っている。チャーリーが家に帰ってから、なにかと口うるさくて、それは誰のためにもなっていない。たとえば、今日の気分はどうかとか、もっと思いやりのある声をかければ、チャーリーだって心を開く気になるかもしれないのに。

「今日のこと、大丈夫そう？」クリスマス・ディナーのことだけど、はっきりと口にしたくない。チャーリーと父さんは、チャーリーが心の準備ができるよう食事のプランを立てていた。だけど、ネットの情報によると、朝から晩まで食事の話をすること自体が、ストレスになるらしい。

「うん」チャーリーは答える。この話はやめたほうがいいということだろう。

プレイしていたステージが終わり、わたしは言う。「着替える前に、レインボーロードやるでしょ」

「まじか。こてんぱんにやられてへこまない？」

「決めつけないでよ。やってみなきゃわからないでしょ」

チャーリーは笑う。「オーケー、じゃあ勝負だ」

★

そんなこんなで、一枚だけ持っているグレーのスカートと、ブラウスとセーターにようやく着替える。わたしは地球上でいちばん人づきあいと縁のない人間で、ドレスアップすることはめったにない。いい機会だから、この冬休みに入ってたぶん初めて髪にブラシをかける。トリ・スプリングに十点。

親戚のみんなが到着しはじめ、チャーリーとわたしは出迎え役を務める。これはわたしに許容量を超えるハグを要求する任務だ。最初に母方の祖父母がやってくる。おじいちゃんは車のことでぶつくさ文句を言い、おばあちゃんはすまなそうにわたしたちに目くばせする。それから、父方の祖父母が到着する。スペインのモハカルに住んでいて、先週からアントおじさんのところに遊びにきている。チャーリーがおじいちゃんとたどたどしいスペイン語であいさつする横で、おばあちゃんはわたしがこの夏に髪をばっさり切ったことを長々と嘆きはじめる。

祖父母と一緒に、父さんのお兄さんとその家族もやってくる。アントおじさんとジュールズおばさん、それに三人のいとこたち。クララは二十歳の獣医学生、エスターはわたしと同い年、ロザンナは十二歳でひっきりなしにしゃべっている。それから、母さんの妹のウェンディおばさんと、どういう関係かよくわからない年配の親戚が何人か、それに父さんの妹のソフィアとその夫のオマールと生まれたばかりの男の赤ん坊。家は満員状態だ。うまくいけば、あとでこっそり自分の部屋に戻ってひと息つけるかもしれない。

いとこたちとは年に数回しか会わないけど、チャーリーやわたしとはまったくタイプが違うことがここ数年ではっきりしてきた。いちばんの違いは、いついかなるときも明るくフレンドリーでいようと決意しているらしいことだ。

「ねえ、チャーリー」クリスマス・ディナーがはじまると、クララがキッズ・テーブルのいちばん端から話しかけてくる。クララは何を着てもそれなりにおしゃれに見える。だからクリスマス・ディナーにもジーンズで参加することを許されていて、それがわたしにはしゃくにさわる。クララはわたしの左どなりにすわるチャーリーにフォークの先を向ける。「新しいボーイフレンドのこと、くわしく聞かせてよ」

エスターが耳をそばだてて、眼鏡ごしにチャーリーを見ている。いつもはクララやロザンナほど話しかけてくることはないけど、彼女のツイッターを見るかぎり、彼女はどうもストレートではないふしがある。きっと親戚じゅうでただひとりゲイを公表しているチャーリーの恋愛事情に興味津々なんだろう。

チャーリーは、黒いジーンズとネイビーのアディダスのスウェットシャツを着て、椅子の上で落ち着きなく身体を動かしている。よく見るとスウェットはニックのだ。母さんへの当てつけで、わざと選んだに違いない。

クララはポテトを大きく切り分けて口に運ぶ。「名前はなんていうの？」

「ニック」少しどぎまぎしているみたい。ディナーに向き合うのに精いっぱいで、こういう質問は想定していなかったんだろう。

「つき合ってどれくらい？」

「えっと……八か月」

「あら、じゃあ、ほやほやってわけでもないのね」クララは笑う。

チャーリーはスウェットの袖をもてあそぶ。「ははは……うん」

クララはチャーリーに気まずい思いをさせていることにまったく気づいていない。チャーリーは祖父母の席をちらちら見て、こっちのテーブルの会話が聞こえていないか確かめている。祖父母が同性愛を嫌っているかもしれないから、まだカミングアウトしたくないのだ。残念ながら、年配者の多くが同性愛に理解がない。

「学校で知り合ったのよね」

いいかげん黙ってよ。あんたにはまったく関係のないことでしょ、と心の中でつぶやく。

「うん」チャーリーは無理をして笑っている。「それって、アントおじさんから聞いたの？　それとも……」

「ええ、そうよ。パパがどんな人か知ってるでしょ」

エスターはチャーリーをじっと見つめ、ロザンナはいやがるオリバーの髪を三つ編みにしている。

クララはなおも続ける。「明日、うちに連れてきなさいよ」

エスターがクララを見て、満面の笑みを浮かべる。「そうね、それがいいわ」

毎年、クリスマスの翌日のボクシング・デーにはアントおじさんの家に行くことになっている。ボーイフレンドやガールフレンドも連れてきなさいと言われているが、わたしもチャーリーも一度も連れていったことがない。チャーリーがニックとつき合いはじめたのは今年の四月だし、わたしはそもそも人間ぎらいだから。

チャーリーはぎこちない笑みを浮かべる。「いや、明日は家族と何か予定があると言ってた」

クララは口をとがらせる。「あら、残念」そして、刺すような視線が今度はわたしに向けられる。「あなたはどうなの、トリ？　あなたの人生に素敵な男性は現われた？」

顔がひきつり、ヒステリックな笑い声を上げそうになる。「いいえ、べつに。何もないわ」

代わりにクララがけたたましく笑う。「それって、ぜんぜん残念じゃないわよ。わたしが保証する。ストレートの男の子なんてろくなものじゃないんだから」彼女はフォークをオリバーに向ける。「この子はいい男に育ってくれることを願うわ」

「オリバーがストレートとはかぎらないわよ」エスターがついに口を開く。彼女の声は驚くほどクララに似ているが、クララよりエスターのほうがずっと好感が持てる。彼女とは何度か『ドクター・フー』の話題で盛り上がったことがある。

「言えてる」クララは頬杖をついて、赤ん坊を見るような目でオリバーを見つめる。

「ねえ、チャーリー、ゲイだと自覚したのはいつ？」

チャーリーは、ついにこの話題がはじまったかという恐怖に目を見開いたが、ありがたいことに、次の瞬間、父さんがわたしたちのテーブルに現われた。シャツとベストの上にエプロンをつけたままで、紙の王冠を危なっかしく頭に載せている。

「こっちのテーブルも楽しんでるか」そして、チャーリーの肩をたたいて顔をのぞき込む。「みんな、大丈夫かな？」

そのとき初めて、チャーリーの皿に目をやった。料理はそこそこ減っていて、それはいい傾向だ。というのも、チャーリーは摂食障害になる前から、ロースト料理はあまり好きじゃなかったから。ただ、父さんが来て話題が変わったのはいいけれど、そのせいで部屋中の注目がチャーリーに集まってしまった。チャーリーがいちばん避けたかったことだ。

「ええ、大丈夫よ」わたしは横から助け舟を出す。

父さんがわたしの目を見て小さくうなずく。「それはよかった。飲みものが足り

はむ
ムシャ
ムシャ

なくなったら、遠慮なく言ってくれ」そう言って自分のテーブルに戻っていった。

チャーリーが、わたしだけに聞こえるように小声で言う。「超ウザいんだけど」

言いたくないけど、姉の務めとして口にする。「心配なのよ、きっと」

チャーリーはうんざりだという顔をする。「まったく、どうしてみんな……」言葉は続かず、彼はまた自分の皿に視線を戻す。

★

残りのディナーの時間、チャーリーがずっと口をつぐんでいるので、しかたなくわたしが質疑応答をすべて引き受ける。ロザンナには学校の友達のことをあれこれ尋ねられ、エスターはわたしが今どんなテレビ番組を見ているか知りたがる。クララは大学進学のことを聞いてくるから、わたしは「何も考えてない」とだけ答えてやりすごす。

チャーリーはポケットから携帯を出して、テーブルの下でメッセージをやり取りしている。わたしはちょっとむっとするけど、チャーリーに文句を言うつもりはない。だって、親戚たちもみんな同じことをしているから。
ディナーが終わって、ようやくいとこ三人組から逃れると、ソファにすわって自分の携帯をチェックする。

ベッキー・アレン
(11:07) 爆笑 wwww　よかったーひとりっ子で
(11:09) 眠れぬトリへ　メリー・クリスマス
(11:10) 大好きだよー xxxxxxxxxxxxx
(12:22) パパが「コール オブ デューティー」の新作を買ってくれたよ。来世でまた会おう x
(14:01) ママはもう酔っぱらってる。ねえ トリの家の養子にしてもらえない？
(14:54) ママが椅子の上で踊りはじめた
(14:59) # ベッキーを救いたまえ

「調子はどうだ、チャーリー」

アントおじさんの声が遠くから聞こえ、わたしは携帯から顔を上げる。おじさんはクララにそっくりだ。ゴシップが大好きで、立ち入ったことを話すのが大好きで、だいたいにおいてとてもわずらわしい。今は部屋のいちばん端から、わたしと一緒のソファにすわっているチャーリーに向かって話しかけてくる。

「ええと……」チャーリーは目を大きく見開いて、言葉をさがしている。「まあ、元気にやってます」

「クリスマスに帰ってこられてよかったな。ああいうところでクリスマスを過ごすなんて想像もつかんよ」

周囲にさっと緊張が走る。幸いなことに、祖父母たちは別々のソファでそれぞれの会話で盛り上がっているし、父さんと母さんはリビングにはいない。だけどアントおじさんとジュールズおばさんといとこ全員、それに種々雑多な親戚たちの目が、チャーリーひとりに注がれている。

チャーリーがこぶしをぎゅっと握りしめる。

「ちゃんとクリスマスっぽく飾りつけされてるし、僕にとってはすごく役に立つ場所だったよ」

　チャーリーが精神科の病院に数週間入院したと知ったときに人々が見せる反応がきらいだ。たいていの人が、そんな恐ろしい話は聞いたことがないという顔をする。治療や回復や摂食障害との向き合いかたを学ぶ場所というより、精神を病んだ人を収容する場所というイメージが強いのだろう。

　たしかに、ネットの情報では、ひどいスタッフがいたり、資金が足りなかったりするところもあって、すべての精神科病院がいい場所だとはかぎらない。でもチャーリーが行ったところは、わたしや母さんや父さんが束になってもかなわないほど力になってくれた。何人もの専門家がチームを組んで、チャーリーが自分の感情を理解するのを助け、学校というプレッシャーにじゃまされることなく回復に向けての取り組みをスタートさせることができた。

　大げさじゃなく、あそこに行ったことでチャーリーは救われたと思う。

　ところが、そういったことをどう言えばわかってもらえるか考えているあいだに、アントおじさんは聞くにたえない言葉を吐き続けた。

「そうだろうとも。だけどあちこちで恐ろしい話を耳にするじゃないか。隔離部屋だとか、拘束着だとか」

ジュールズおばさんが笑っておじさんの腕をいたずらっぽくたたく。「もう、やめてよ、アントニオ。今はそんな精神病院はないわよ」

「精神科病院」わたしは訂正する。

おばさんは咳払いをする。「そうね」そう言ってチャーリーに満面の笑みを向ける。「チャーリーがすっかりよくなって、こうして一緒に過ごせるようになって、ほんとによかったわ」

「まったくだ」アントおじさんも言う。

これについても、彼らは大きな誤解をしている。摂食障害やメンタルの病気がすぐに治せるものだと考えている。治療はプロセスの積み重ねだということをわかっていない。時間と治療と努力を重ね、悪い日といい日を繰り返すものだということを。

「ありがとう」チャーリーは言うが、今にも吐きそうな顔をしている。

「で、あなたはどうなの、トリ?」ジュールズおばさんが尋ねる。「シックス・フォーム（イギリスの高校で大学進学準備のための最後の二年間）ではうまくいってる?」

わたしはこの質問に対する模範解答をすらすらと口にする（ええ、順調です／Aレベル試験（大学進学のための統一試験）はGCSE試験（義務教育終了時に受ける統一試験）よりずっと大変です／体育の授業がなくてうれしい、などなど）。わたしが答えているあいだに、チャーリーは立ち上がって部屋を出ていく。わたしもきりのいいところで席を立って、チャーリーを追う。おじさんとおばさんを実際より憎まないよう努力しながら。

どうしてこうも無神経なことを言えるんだろう。どうしてこんなに無知でいられるんだろう。

廊下を進みキッチンに入ろうとして足を止める。チャーリーと母さんが対決でもするように向き合っている。

「わたしたちにどうしろって言うの。子どもみたいな態度はやめなさい、チャーリー」

「どこが子どもみたいなんだよ」

「みんなの注目を集めたがる赤ん坊みたいじゃないの」

「どこがだよ。注目なんてくそくらえだ」

母さんは皿洗い用の手袋を手から引きはがす。

「あなたにとって、今回がむずかしいクリスマスだってことはわかってるわ。だからこそ、父さんも母さんもできるかぎりのことをしようと努力してるの。それくらいのことはわかるでしょ」

「努力？　ありがたくて涙が出るよ。よくできましたっていうクソ修了証書でもほしいわけ？」

「言葉遣いに気をつけなさい」

「これまでずっと、僕が心の問題を抱えていることを認めようともしなかったし、こんな子どもはほしくなかったって僕に感じさせてきたくせに！」

母さんがキレたのはそのときだ。

「いいかげんにしなさい」そう言って、キッチンのドアを指さす。「出ていって！」

チャーリーは黙っている。そしてくるりと背中を向けて、キッチンを出たところでわたしを見つける。母さんから見えなくなったところで立ちどまり、わたしを見下ろす。

「ニックのところに行くよ」落ち着いた声を作ろうとしているのがわかる。

「本気？」

チャーリーは背中を向けて、靴を履きはじめる。

「行かないで」

「無理だよ」立ち上がって背筋を伸ばす。「もう限界なんだ――」そう言って、リビングやキッチンを手で示す。「ああいうのぜんぶが」

「だけど、今日はクリスマスなのに」

「ごまかすのはもうやめようよ」わたしの言葉が耳に入っていないみたい。「どっちみち、僕は家族のやっかい者なんだ」

「そんなことない」

彼は玄関に行き、コートとニックへのプレゼントの入った袋をつかむ。「この冬は最初から最悪だった」

スペアキーを取り、ドアを開ける。外は雨が降っている。冷たい空気が入ってくる。

泣きたい気分だ。チャーリーを行かせないためならなんでもする。「せめてクリスマスだけでもわたしと一緒にいられない?」

チャーリーは振りかえる。目がうるんでいる。「どういう意味?」

「ニックとはいつも一緒にいるじゃない」

チャーリーはわたしに向かって大声で叫ぶ。

「それは、ニックが僕をメンタルを病んだおかしなやつじゃない、ふつうの人間として扱ってくれるからだよ！」

わたしは固まる。

「わたしだって……」声がしだいに小さくなる。

「ごめん」そう言いながら、チャーリーはすでに行きかけている。

「それじゃ」

ドアが閉まり、わたしは立ちつくす。

グレーのスカートを見下ろして、ジーンズならよかったのにと心から思う。こんなのわたしじゃない。そして、まだ紙の王冠をかぶっていることに気づいて、頭からむしり取ってびりびりに破く。

こうなることはわかっていたはずだ。

チャーリーの言ったことは理不尽だけど、わたしには腹を立てる権利はない。

キッチンに戻ると、母さんがまだ皿を洗っている。近づくと、母さんの顔はまるで石みたい——というか、氷みたいだ。一瞬間があって、母さんが言う。「わたしだって精いっぱいやってるの。わかってくれるわよね」

それはわかる。だけど、母さんの精いっぱいはベストからはほど遠いし、どちらにしても、母さんがどう感じているかは問題じゃない。わたしはキッチンを出て、階段に腰を下ろす。

オリバーが新しいトラクターを持って、わたしの前を走り抜ける。

玄関まで行ってドアを開け、チャーリーが道路ぎわの縁石にすわっていないか見てみる。だけど姿は見当たらない。ほんとうなら、冬はわたしの好きな季節だ。でも、チャーリーの言うとおり、この冬は最悪だ。わたしはポーチにすわり、ドアの枠から足を突きだす。通りの向かいの家にはイルミネーションのライトが点滅しているけど、見ているとだんだん暗くなっていく気がする。ぜんぜんクリスマスっていう気分じゃない。

わたしだって、精いっぱいやっているつもりだ。食事のときは必ずとなりにすわって、気分はどうかと毎日尋ね、ときどきは彼も話してくれる。姉でありながら、友達でもあろうと努力してきた。

それが負担だとは思わない。少なくともわたしのほうは。だけど、チャーリーにとってはそれが重荷なんだろう。

車が通りすぎる。あたりが暗くなってきた。暗くて寒くて雨降りで、すごく落ち着く。そのことに気づいて思わず笑ってしまう。いつからわたしはそんなふうに思うようになったんだろう。

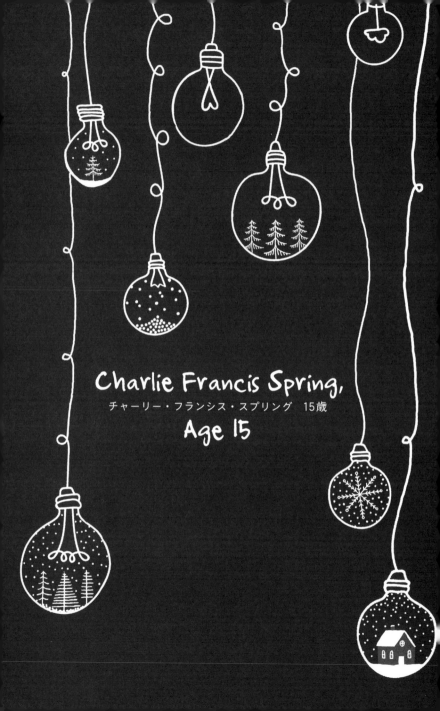

Charlie Francis Spring,

チャーリー・フランシス・スプリング　15歳

Age 15

チャーリー

ニック・ネルソン
（00:01）ハッピー・クリスマス xxxxxxxxxxxxx

チャーリー・スプリング
（00:02）ハッピー・クリスマス xxxxxxxxxxxxxxxxxx
いっぱい愛してるよ

ニック・ネルソン
（00:02）ばか言ってないで 早く寝ろ

（00:03）（俺もいっぱい愛してる xxxxxxxxxxxxxxx）

★

チャーリー・スプリング
（06:31）オリバーが 僕が買ってやったメロディー付きのクリスマス・カードでトリを起こしてる wwww
（06:32）笑ってる場合じゃない。僕まで目が覚めちゃったよ
（06:32）サイアクだ

ニック・ネルソン
（10:40）wwww
（10:40）俺はよく寝たよ。クリスマスにこんなに朝寝坊したのは初めてだ

★

チャーリー・スプリング
（13:23）子犬はいつ来るの？

ニック・ネルソン
（13:30）たった今 おばあちゃんが連れてきた !!!!!!!!!!!!!!!!
（13:30）パグの男の子だよ

チャーリー・スプリング
（13:31）ワオ！

ニック・ネルソン
（13:32）ヤバいぞ
（13:34）

チャーリー・スプリング
（13:35）ずるい！

ニック・ネルソン
（13:36）今日うちに来る理由がもうひとつできたな

チャーリー・スプリング
（13:37）いまや理由はパグだけになったね

ニック・ネルソン
（13:38）このやろ。メールばかりしてないで リアルな社交に戻れ

チャーリー・スプリング
（13:38）：-(

ニック・ネルソン
（13:39）<3

チャーリー・スプリング
（13:51）一生モノだね
（13:51）ただのクリスマス・プレゼントじゃない

ニック・ネルソン
（13:53）犬・命

チャーリー・スプリング
（13:54）ボール・命

ニック・ネルソン
（13:55）それはヘンリーのセリフだ

チャーリー・スプリング
（13:56）名前 ヘンリーってつけたんだ！

ニック・ネルソン
（13:57）そう !!!!

チャーリー・スプリング
（13:57）それって犬じゃなくて 列車の名前じゃない？

ニック・ネルソン
（13:58）おいおい オリバーと一緒にまた「きかんしゃトーマス」観てるのか

チャーリー・スプリング
（13:58）バレた？

ニック・ネルソン
（13:59）オタクめ

チャーリー・スプリング
（13:59）オタクが好きなくせに

ニック・ネルソン
（14:00）たしかに 君の鉄道愛は俺をムラっとさせる

チャーリー・スプリング
（14:01）今後のために 今のはスクショしておいたからね

ニック・ネルソン
（14:02）いいかげん リアルに人と交流してこい
この鉄道オタク

★

チャーリー・スプリング
（15:14）ねえ 約束してたより早く行ってもいい？

ニック・ネルソン
（15:17）もちろんいいけど どうした？？　何かあったか？

チャーリー・スプリング
（15:23）うん 親戚たちがちょっと面倒でさ

（15:24）メンタルを病んだゲイのいとこが よっぽどめずらしいらしくて

ニック・ネルソン
（15:25）おい 大丈夫かチャー ：-(
トリは一緒にいてくれるんだよな？

チャーリー・スプリング
（15:29）正直 トリじゃ助けにならない
（15:34）君が忙しいなら あとでもいいけど

ニック・ネルソン
（15:35）そりゃ忙しいけど 俺もひと休みしたいと思ってたところだ。この家まじでカオスだからさ !!
（15:36）母さんがメルローのボトルを二本空けてマイケル・ブーブレのクリスマス・アルバムをかけてるしリビングじゃ年寄りたちがダンスしてるからね
（15:36）いつ来てもいいよ。俺をカオスから救ってくれ xxxx

チャーリー・スプリング
（15:37）オーケー もう少ししたら行くよ xxxxxx

ニック・ネルソン
（15:38）ほんとに大丈夫か？ <3

チャーリー・スプリング
（15:39）うん 大丈夫 <3

　家族みんながピリピリしているのが僕のせいだということはよくわかっている。だから、問題を解決するには僕がその場からいなくなるのがいちばんだと思う。もともと僕は、何か問題が起きたときにはきっちり片をつけたいタイプの人間だけど、こういうケースはいくらがんばってもどうしようもない。最近はそういうことが多すぎる。

　自分がいやらしい偽善者だというのはわかっている。同情の目で見られるのは我慢できない、なんていつも言っているくせに、クリスマスの日にボーイフレンドの家に逃げだすなどという茶番を演じて、それは人前で泣きだしてみんなのクリスマスを台無しにしないためだと自分に言い訳している。こんなふるまいをして、いったいみんなにどうしてほしいのか。これじゃまるで〝ヤバいやつ〟の見本みたいじゃないか。

トリが僕の助けになろうとがんばってくれているのはわかっている。あんなふうに振りきって出てきたのは悪かったと思う。家族の中では、トリがいちばん親身になってくれていると思うし、そのことは心から感謝してる。あれこれ口うるさく言うことも、問題から目をそむけることもない。そういうのは、うちの両親の得意技だけど。とにかくトリと話していると、自分が異常者《マニアック》だとは感じない。

おっと、いけない。セラピストのジェフから、自分のことを〝異常者〟とか〝クレイジー〟と呼ぶべきじゃないと言われてたんだ。僕だって、自分がそうじゃないってことはわかってる。だけど、そんなふうに言ったほうが気が楽になることもある。

実際、気分は前よりもずっといい。それはうそじゃない。〝精神科の病院に数週間入院する〟というのが、一部の人たちにとって世にも恐ろしいことに聞こえるというのはわかる。たしかに、患者にひどい扱いをする病院について、聞くにたえない話を聞いたことがある。だけど、入院は僕にとってまさに必要なものだった。治療を適切にはじめることができたし、摂食障害を持つ同じ世代の人たちとも会うことができた。回復に向けた取り組みをサポートする専門家のチームもいてくれた。治療を進めるうちにわかってきたこと、それは、僕の対処メカニズム――拒食や自傷の衝動をこう言うらしい――は、その言葉のとおり、僕が抱えている問題に対処するための正常なメカニズムなのだということ。大事なのは、そういった行為をやめることではなく、なぜそういうことをせずにいられないかを理解すること、つまり、その背後にどんな感情があるのかを知ることなんだ。

これからもいい日と悪い日を繰り返すだろうけど、必ずよくなっていく。

まいったな、まるでジェフが乗り移ったみたいだ。

だけど、今日がその悪いほうの日だというのは間違いない。

★

ニックは通りをふたつ隔てたところにある一軒家に住んでいる。クリスマスにはいつも百人くらいが集まる盛大なパーティーを開くと言っていたけど、それは冗談じゃなかった。玄関のドアは開けっぱなしで、あちこちの窓からにぎやかな声が聞こえ、リビングルームではライトが点滅し、重低音の振動が足元から伝わってくる。近所の人に通報されないのが不思議なくらいだ。

　つき合いはじめて初めてのクリスマスだから、ほんとうは夜になって家族や親戚のほとんどがワインに酔ってうとうとしはじめたころに、一時間だけ抜けてくるつもりだった。でも今はまだ夕方の四時だ。

チャーリー・スプリング
（16:02）家の前にいるよ！ xxxx

玄関前の階段に立って待つ。ひとりで入っていくのはちょっと気が引けるし、チャイムを鳴らしてもたぶん誰にも聞こえない。幸いなことに、ニックがすぐに出てきてくれた。

彼は僕をじっと見て、腕組みをする。「傘を持たずに来たのか」

空を見上げる。雨が降っているなんて気づきもしなかった。視線を落とすと、服がぐっしょり濡れている。

「気づかなかった」顔を上げてニックを見る。

「ヤバいな」彼はにやりとする。

ニックと四月につき合いはじめて、メンタルの不調はしばらく鳴りをひそめていた。それなのに、夏にはまた摂食障害が頭をもたげ、秋には自傷行為が再発した。そんな中、ニックはずっと僕のそばにいて、できるかぎりのサポートをしてくれた。

最初は、彼にメンタルの問題を打ち明けるのが怖かった。ほんとうのことを知ったら、僕と一緒にいたくないと思うかもしれないと思った。でも実際は、ぜんぶ話すことで、僕たちの絆はより強くなった。

多くの人が、十代の恋愛は大人ほど深くなく、長続きもしないと思っている。だけど、僕とニックはどうだろう。僕たちにはそれ以上のものがあると思う。

もっと特別な何かが。

「おじゃまします」そう言って、中に入る。

ニックがドアを閉めて僕に向き直る。顔から笑みが消えている。僕の目にかかった濡れた髪をかき上げる。「ひどい顔してるぞ、チャーリー」

彼の肩におでこをのせる。「うん」ニックの腕がとっさに僕を包み、僕も彼の背中に手を回す。ニックが僕の頭に顔をうずめ、彼の髪が耳に触れる。彼の手が僕を強く抱きしめる。

僕たちは、寒い玄関ホールで何も言わずに抱き合ったままでいる。「大丈夫か」とささやかれた瞬間に、涙があふれてくる。その言葉をかけられると、いつもこうなってしまう。だけど、ニックには泣いているところを見せたくない。最近こんなことばかりだし、なにより今日はクリスマスだから。それで、見られないように彼の肩にぎゅっと顔を押しつける。それでもニックが気づいて身体を離すと、涙がぽろぽろこぼれる。

「ごめん、ただちょっと……母さんと言い合いになったんだ」明るい口調で言ったつもりだけど、ぜんぜん大丈夫そうには聞こえない。

ニックは心配そうに僕を見つめる。そして、ズボンのうしろポケットからハンカチを取りだす。ニックがハンカチを持っているというのがあまりにおかしくて、思わず吹きだす。ニックも笑顔になって眉を上げる。ようやく涙がとまり、ニックが僕の頬をやさしく拭いてくれる。

「どうしてハンカチなんて持ってるの」

ニックは僕にハンカチを押しあてながら、にっと笑う。「ハンカチを持ってるのが、今クールなんだ」

「マジか。最近のトレンドにはついていけてないな」

ニックの笑い声が、雨音と、リビングから聞こえる知らない音楽の低いベースの音に交じって響く。「もしくは、これはおばあちゃんからのクリスマス・プレゼントで、ちゃんと使うってところを見せたくてポケットに入れたのかもしれない」

ニックはハンカチをポケットに戻し、両手で僕の顔を包み込む。「そしてなんと、実際に使った」

彼の手のぬくもりを感じて、僕はほほ笑む。「君よりも、君のおばあちゃんのほうが僕のことをわかってくれてるみたいだね」

「おばあちゃんとデートしたいってこと?」

「理由はいろいろあるけど、遠慮しておくよ」

「よかった」ニックは今度は僕の腰に両手を回す。「一瞬、ライバルが現われたかと思った」

「君に勝てるライバルはいない」そう言って、僕も彼の両肩に手をかける。ここで永遠にこうしていられたらいいのに。雨が吹きつけるこの寒い玄関ポーチで、コートをベッドにして、コート掛けを薪にして、ニックと一緒に暮らせたらいいのに。

「口がうまいな」ニックが笑顔で僕をのぞき込む。僕がキスで応えると、それは思いもしなかったほど長いキスになる。何もかもがあまりにも素敵で、終わりにするのがもったいなさすぎて。僕がニックの髪を指でとかすと、彼は僕の腰を自分の腰に引き寄せる。ふたりの唇が一瞬離れ、ニックが僕の顔をのぞき込んだとき、ああ、今日はクリスマスなんだという実感がやっとわいてくる。

「なるほど、この子がボーイフレンドなんだね」

とっさに身体を離して振りかえると、少なくとも七人のさまざまな年齢の人たちが、僕たちを見守っている。

「紹介してくれるかい」さっきの男性が続ける。たぶん、おじさんか年の離れたいとこだろう。

「あ、うん」ニックは放心状態のまま答える。そして僕の肩に両手をかけて、家の中に招き入れ、親戚たちに向き合わせる。僕の到着に気づいた人たちが次々に足を止めて、ギャラリーの数はふくれ上がっていく。

「これがチャーリーだ」

★

僕はたっぷり三十分かけて、親戚のひとりひとりに紹介される。なぜか、全員が僕に会いたがっているらしい。みんな「チャーリー、よく来てくれたね」と言うだけで、病院がどうだとか、クリスマス・ディナーがどうだとかといった、答えに困るような質問はしてこない。僕はそのあいだじゅうずっと、ネルソン家の新入りの子犬、ヘンリーを抱いている。これまで見たことがないほど小さくてかわいい子犬で、彼が腕の中で眠りに落ちた瞬間、僕は恋に落ちた。

ニックのもう一匹の犬は、ネリーという名前のボーダーコリーで、僕たちのあとをついてきては、ときどき僕の脚に鼻先をぶつける。うちの両親もペットを飼わせてくれたらいいのに。

ニックのお母さんは、まだ頭に紙の王冠を載せていて、僕がこの家に来るようになってもう何百回も会っているのに、世間一般に許容されるより十秒は長くハグしてくる。僕としては、ぜんぜんいやじゃないけど。

紹介がひととおり終わると、ニックは僕を自分の部屋に連れていき、僕がそのままでいいと言うのもきかずに、濡れたジーンズを着替えさせる。

着替えているあいだ、ニックは大きなダブルベッドでくつろいでいる。今日のニックはいつもの古いジーンズに、セーターは真っ赤なトナカイ柄だ。悪趣味で冗談としか思えない。

「そのセーター、素敵だね」ベルトをしめながら言う。「とってもセクシーだ」

ニックは何を着てたっけというように下を見て、「ああ、これ」と言って顔を上げると、眉をぴくぴく動かしてみせる。「そそられるだろう」

僕は濡れたジーンズを床から拾い上げ、彼の顔に向かって投げつけて、彼がそれをキャッチしようとして大げさにベッドから転がり落ちるのを見て笑う。

「君のスウェットも素敵だよ」ニックはベッドによじのぼったあと、唇の端に小さな笑みを浮かべて言う。「きっと選んだ人のセンスがいいんだろうな」

一瞬、なんのことかわからなかったが、ニックのネイビーのアディダスを着ていることに気がつく。何か月か前に借りて、返すのを〝忘れて〟いたやつだ。だって、ボーイフレンドのスウェットって最高なんだもの。大きくて、着心地がよくて、いい匂いがして。

「やばっ」僕は言う。

鏡の中の自分をじっくり見る。ニックのジーンズはサイズがだいぶ大きくて、僕が穿くとめちゃくちゃダサく見える。僕は低い声でうめく。

「九十年代のボーイズ・バンドのメンバーみたいだ」

ニックが僕のうしろに現われる。身長は僕とそんなに変わらないけど、僕よりかなりがっしりしている。見た目としてはいいことでも、服をシェアするという点ではかなりのデメリットだ。

「あとはスウェットパンツしかないな。それでわが家のクリスマス・パーティーに現われたら、母さんがぜったい文句を言うだろうけど」

「スウェットパンツだと、もっとバックストリート・ボーイズっぽくなっちゃうよ」

「バックストリート・ボーイズのどこが悪い？」

鏡の中でニックと目が合う。少しの沈黙のあと、ニックが僕の手をとって振り向かせる。

「大丈夫か。話を聞こうか？」

たぶん、話をするべきなんだろう。母さんとの今日の口論のことや、この数週間さんざん言い合いしてきたことを。回復に向けての努力がどれほどハードかを理解しようとしない人がたくさんいる中で、努力を続けることがどれだけむずかしいかを。ゆうべはディナーが心配で眠れなかったことや、実際にはかなりうまくやれたはずなのに、僕がへまをやらかして、クリスマスを台無しにするのをみんなが待っているように感じたことも。ぜんぶ説明するべきなんだろう。

だけど、今はそんなことは考えないようにするほうがはるかに楽だ。

「僕はただ……いいクリスマスにしたかっただけなんだ」また涙が込み上げてくる。

「オーケー」ニックは僕の肩に腕を回して僕を部屋から連れだし、頭のてっぺんにキスをする。「じゃあ、今からそうしよう」

★

「よう、チャーリー、調子はどうだ」

三十分後、ニックがトイレに行き、僕がキッチンで水を飲んでいると、ニックの兄のデヴィッドがふらりと入ってきた。

デヴィッドはニックの四歳年上で、ダークブロンドの髪以外はニックとまったく似ていない。身長はずっと低くて（実際僕よりも低い）、すごく態度がでかい。上流階級層の行く大学に通い、ボートを漕いでキルト・ジャケットを着るようなプライベート・スクール出身の仲間とつるんでいる。恋人がいるのに浮気して、それを自慢するような男だ。

ニックとデヴィッドはそりが合わず、デヴィッドはたぶん僕のこともあまりよく思っていない。ニックがバイセクシャルだとカミングアウトしたときは、そんなのはゲイをごまかしているだけだと言い放った。

「やあ」僕は言う。

デヴィッドは冷蔵庫から瓶ビールを取りだす。一本目じゃないのは明らかだ。

「で、もうすっかり治ったのか」

「それは……」これは今日された中で、たぶんいちばんばかげた質問だ。「そう簡単にはいかないけど、なんとか元気でやってるよ」

「そりゃよかった」ビールをごくごく飲み、まるで動物園の動物でも見るように僕をじろじろ見る。

「そっちは元気なの？」この状況から抜けだすために、しかたなく尋ねる。

「ああ、元気さ。大学もボート部も絶好調だ。よく学び、よく遊びってやつだ」

「すごいね」

「で、今はどんな状態なんだ？　学校に戻る許可はもう下りたのか」

許可だなんて。言うことがいちいち神経を逆なでする。

「次の学期から戻ることにした」

「それは、なによりだ」そう言って、もうひと口ぐいと飲む。「ところで、めっちゃ興味があるんだけど、精神病院ってどんなところなんだ。マジでやばいやつとかに会った？」

　僕は黙ったままでいる。

「このあいだ、統合失調症についてのドキュメンタリー番組を観たけど、あれってまじで悲惨だよな。ぶつぶつひとりごとを言ったりして。病院では、そういうやつらが自分で自分を傷つけないように、隔離部屋に閉じ込めたりするんだろ？」

　グラスを持つ手に力が入る。もう行ったほうがいい。「僕は統合失調症じゃない。それに、そういう番組は人に恐怖心を与えて、精神疾患、とくに統合失調症みたいな〝社会的に受け入れられにくい〟病気をわざとセンセーショナルに取り上げるように作られているんだ」

　デヴィッドは目をぱちくりさせる。「ああ、まあたしかに。だけど、そこにはそういうやつらもいたんだろ？」

「僕がいたのは、おもに摂食障害を治療するためのところだったから――」

「そこまでヤバいやつはいなかった？」

「……そうだね」

「だけど、何も食べたくないっていうのも、相当悲惨だよな。俺には考えられない」

僕は黙っている。

「たとえば、腹が空きすぎて、しかたなく何かを食べるなんてことはあるのか、とか。謎なんだよな。食べなきゃ死ぬだろ」

そのとき、ニックがキッチンに入ってきた。

表情からは、デヴィッドの最後の言葉を聞いていたことがわかる。だからといって気が楽になるわけではなく、僕は苦痛でゆがんだ顔を彼に向ける。

「俺のボーイフレンドへの尋問はもう終わったか、デヴィッド」その口調は穏やかとはほど遠い。

デヴィッドは眉をひそめて、両手を上げる。「ちょっとおしゃべりをしてただけじゃないか」

「せっかくのクリスマスに、チャーリーがおまえのクソしょうもない意見を聞きたいと本気で思ってるのか」ニックがこれほど怒ったところは、長らく見たことがない。「いいかげんにしろ」

デヴィッドは鼻を鳴らして、ビールをぐいっと飲む。「わかったわかった、落ち着けって」

「くそっ」ニックが僕の肩を抱いてキッチンから連れだし、廊下を歩いていく。声の届かないところまで来ると言う。「あいつは人の気持ちのわからない、どうしようもないクソ野郎だ」

「いいんだよ」

「いいわけないだろう」

ニックの言うとおりだ。いいわけがない。もっと自分のことを守るべきだった。だけど、もう疲れた。自分を守るのにほとほと疲れてしまった。

「ごめん」僕は小声で言う。「もっと……ちゃんと言い返せばよかった」

ニックが首を振る。「いや、あやまらなきゃいけないのはあいつの方だ。あんなことを言ってくるやつの相手をする必要はない」

そのままニックに、ガレージに通じるドアの脇にあるアルコーブに導かれる。僕の肩を抱いていた手が下ろされ、手を握られる。

セラピストのジェフとは、デヴィッドのような間違った考えを持つ人たちのことをたくさん話した。

誰かが心の病を患っていると知ったとき、ほとんどの人が聞かなかったことにするか、相手を自分とはまったく違う恐ろしい存在として、または好奇心の対象として扱う。そのどれでもないフラットな立場をとる人はめったにいない。

フラットでいることはむずかしくない。そばにいて、助けが必要なときに手を差しのべる。そして、たとえすべてを理解できなくても、よき理解者であろうとする。ただそれだけでいい。

「ありがとう」僕はニックにやさしくキスをする。

ニックはうまくフラットでいてくれる。僕の両親はあまりうまくはないけれど、そうであろうと努力してくれているのはわかるし、たまにはうまくいくこともある。少なくとも、デヴィッドよりはまし。それはたしかだ。

トリもフラットに接してくれる。さっきは少しきつい態度を取りすぎたかもしれない。

ニックと僕はアルコーブの陰でしばらく見つめ合う。

「今日は最悪だ」僕はようやく口を開き、ふっと笑う。

ニックが悲しそうにほほ笑む。「そうみたいだな」そして僕の手をぎゅっと握る。

「話を聞こうか?」

しばらく考える。「もう少しあとでいい？」

ニックはまた手を握ってくれる。「いいさ、もちろん」

「ヘンリーを抱っこしてきていい？　子犬と触れ合うせっかくのチャンスを逃してるような気がしてきた」

ニックはにやりとする。「すごくいいアイデアだ」

★

家の中がカオスだというニックの言葉は大げさじゃなかった。ヘンリーとネリーと遊んだあと、リビングは本格的なディスコに変身し、廊下では来客たちの靴を障害物にした、熱狂的なラジコンカー・レースがはじまった。そのレースで僕がニックを五回負かしたあと、僕たちはモノポリーに誘われ、ゲームボードの上をヘンリーが走り抜けたことでゲームはあっという間に終了した。そのあとニックの年上のいとこたちとマリオカートのトーナメントがはじまり、僕はそれにも勝った。僕はドライブするゲームが得意らしい。

そのあと、ニックの部屋に戻ってプレゼントを交換する。僕はニックの好きなものの詰め合わせをプレゼントした。方眼紙のノートに万年筆、携帯につける魚眼レンズ、それから特大サイズのオレオ・デイリーミルクバー。ニックはかっこいいヘッドホンをプレゼントしてくれた。今使っている片耳が壊れたやつとは比べものにならないほど素敵だ。それから、史上最高にロマンティックでバカっぽい手作りのカードを交換する。ニックのカードには僕たちの写真が散りばめられ、僕のカードにはあちこちにふたりの絵を描いた。

カードを読み終えると、僕はニックにキスをし、ニックも僕にキスを返す。そして、当然の成りゆきで三十分ほどいちゃいちゃすることになる。

あっという間に七時になり、僕たちはリビングのソファに移動する。テレビで『ドクター・フー』のクリスマス・スペシャルが流れる中、僕とニックはソファに両脚をのせてくつろぎ、ニックが僕の肩に頭をもたせかける。子どもたちはカーペットにすわってレゴの海賊船を作り、ニックのお母さんと何人かのおばさんやおじさんは、ダイニング・テーブルにビュッフェスタイルの軽食とお茶を準備するのに忙しい。

うとうとしかかったとき、ニックの声がした。
「チャー、一応言っておくけど、君の携帯が五分前からずっと音を立ててるよ」
「おっと」僕が飛び起きると、ニックも眠そうな笑みを浮かべて身体を起こす。ポケットから携帯を出すと、画面は未読のメッセージで埋めつくされている。
ぜんぶトリからだ。ニックも身を乗りだして読む。

ヴィクトリア・スプリング
（17:14）ねえ いつ帰ってくるの？
（17:32）お願いだから返信して
（17:40）せめていつ帰るか教えて
（17:45）母さんと父さんは機嫌が悪いけど あんたを怒鳴るようなことはないと思う
（18:03）ほんとのこと言うと 母さんは反省してるんじゃないかな
（18:17）オリバーもいつ帰るのかって言ってる。一緒にマリオカートがしたいんだって
（18:31）クララとわたしを残して出ていくなんて信じられない。恨むわよ
（18:54）返事しないなら今すぐニックの家まで連れ戻しに行くから
（18:59）冗談じゃないから
（19:00）チャーリー
（19:01）チャーリー
（19:01）チャーリー
（19:01）本気だからね
（19:02）わかった これから歩いてそっちへ向かう

ニックは黙っているけど、何か言いたいのはわかる。僕は一気に最低の気分になる。

僕にとってひどい日だったことはたしかだ。だけど、トリに八つ当たりするべきじゃなかった。

少なくとも、もう少し一緒に家にいるべきだった。

「家に帰らなくちゃ」僕は言う。

ニックがぼくの髪を指でかき上げる。帰ってほしくないと思っているはずだけど、それでも彼は「うん」と言う。

そう言いながらも、どちらも動かない。

大きな茶色の目に見つめられるだけで、ニックの言いたいことはわかる。僕が心に抱えていることを吐きだしてほしいと思っているんだ。

「今日はほんとに大変だったんだ」話しはじめると、ニックが手を握ってくれる。僕は、今日あったことをぜんぶ話す。母さんとの口げんかのこと。ストレスや不眠やうっとうしい親戚たちのこと。ただ〝ふつうの〟クリスマスを過ごしたかったこと。それがどんなものであれ。

ニックにどうすることもできないのはわかっている。もしできたとしても、そんなことをさせるべきじゃない。それでもすべてを話すことで、胸のつかえが少しは楽になった。

「たぶん……僕は心のどこかで、今年も去年とまったく同じクリスマスを過ごせるって思いたがってたんだ」ニックの目をまともに見ることができない。「僕がふつうにしてさえいれば、何も変わらないって。だけど、みんなの態度があまりにもあからさまで、寄ってたかって僕に負い目を感じさせるようなことばかり言うから……」

「みんな？」

「トリは違うよ、もちろん。大丈夫なのはトリだけだ。力になってくれて、それでいてふつうに接してくれる」僕はふっと笑う。「それと、オリバーもね」

ニックに抱き寄せられて、僕は彼の肩にもたれる。

「今の話だと、君の両親も、今年のクリスマスが〝ふつう〟だと思いたがっていたようだけど」ニックが言う。

僕はうなずく。「うん、まさにそれだ」

「そのことについては両親と話した？」

「話すって何を？」

「つまり……今年のクリスマスはいつもとちょっと違うから、サポートが必要になるかもしれないってこと」

どうだっただろう。父さんとは食事のことは話し合った。だけどそれ以外は……。

「ちゃんとは話してない」小さくつぶやく。

「ときどき君は人の負担になりたくないという気持ちが強すぎて、助けを求めるのを怖がってる気がするんだ。でも、どんな助けが必要なのかを打ち明けさえすれば、まわりには力になってくれる人がたくさんいるってことを忘れないで」

僕は顔を上げてニックを見る。僕は彼が大好きだ。神様、僕は僕のボーイフレンドを愛している。

「今の、まるでジェフみたいだ」僕がにやりとすると、ニックは笑ってひじでつついてくる。

そのとき、リビングの戸口にトリが立っていることに気づく。

僕と同じで、傘を持ってくるのを忘れたみたい。たった今、川に飛び込んだみたいに見える。思いきり息を切らしているところを見ると、ここまで走ってきたんだろう。僕をじっとにらみつけ、唇を一文字に結び、コートのポケットに手を突っ込んで、いつものように完璧に静かなスタイルで怒っているように見える。

「まず第一に、ニック、あなたにこれほどたくさん親戚がいるなんて信じない。常識的に考えて、ありえない。第二に、あのウザいお兄さんが、またなれなれしく話しかけてきた。わたしがいやがってるのをこれ以上無視するなら、神に誓って、呪いの井戸を見つけてあいつをつき落としてやる」

レゴの海賊船を作っている子どもたちが、驚いた顔でいっせいに振り向く。それを見たトリが威嚇するように眉を上げると、子どもたちはすぐにまた背中を向ける。

ニックは大笑いするが、トリは表情を変えずまっすぐに僕を見る。

「第三に、あんたは今すぐ家に帰らなくちゃいけない。もう一回でも誰かに学校の成績のことを質問されたら、わたしも逃亡するかもしれないし、それでなくてもあんたがいなくなって父さんはかっかしてるから」トリは片脚に体重を移す。「まだあるわ。オリバーは誰もマリオカートを一緒にやってくれないってむくれてるし、イギリスのおばあちゃんはあんたとドラムレッスンの話をしたがってるし、母さんはあんたに謝りたいと思ってるみたいだから。まさかと思うかもしれないけど」

トリはソファの反対側の端にどさっとすわり、僕たちのことは見ずに、頭をのけぞらせてクッションにのせる。

言うべき言葉が見つからない。

僕はニックから離れて、トリのとなりにすわる。その身体に両腕を回すと、数秒後、トリが僕の肩にもたれてくる。

「クリスマスなんて大きらい」トリが言う。

「本心じゃないよね」

「今年のクリスマスはきらい」

「みんな同じ気持ちだよ。この冬は最初からずっとろくでもなかった」

「同感」

テレビではまだ『ドクター・フー』をやっている。オリバーもきっと観てるだろ

う。

「逃げたりしてごめん。迎えにきてくれてありがとう」

トリは僕を見る。「かわいそうに。今日は最悪の日だったね」

「悪いことばかりじゃないよ。ニックが新しい子犬をもらったんだ」

トリが鼻で笑う。「あんたたち、結婚して家を買って、おまけにもう犬を二匹も飼ってるわけ？」

僕とニックが笑い、そのまましばらく三人で黙ってすわっている。僕はトリの髪に頭をのせる。

「助けが必要なときは、もっとちゃんと言うように努力するよ」僕は言う。「どんなふうに助けてほしいかも」

「ジェフにそう言われたの？」

「うん、それとニックにも。ふたりの言うことは正しいと思う」

「よかった」トリの口調が少し穏やかになる。「わたしも……それがいいと思う」

それで何かがよくなるわけじゃない。それはわかっている。

だけど、今よりもう少し人に心を開いて助けを求めれば、この〝回復〟ってやつが少しは楽になるんじゃないかと思う。

「おじいちゃんたちの、年に一度のけんかを見逃したわね」しばらくしてトリが言う。

「今年はどうだった？」

「アンティーク家具のことで何かもめてたみたいだけど、片方はほとんどスペイン語だから、あんたが解説してくれなきゃさっぱりわかんないわ」

「あとで第二ラウンドがあるかもよ、去年みたいに」

「かもね。でも、おかげでクララにしつこく理想の男性のタイプを聞かれなくてすんだ」

僕が笑うと、トリも笑い、すべてのことが少し楽になる。ほんの一分ほどのことだけど。

Oliver Jonathan Spring,

オリバー・ジョナサン・スプリング　7歳

Age 7

オリバー

最初にチャーリーが消えて、次にトリが消えた。次は僕の番かもしれない。ふたりがいなくなっても誰も何も言わないから、なんだか家族や親戚みんながたくらんだことのような気がしてくる。ここにいる全員が、幽霊とか悪い恐竜みたいなものに取りつかれてしまったんじゃないかって。今はテレビの前にすわり込んでマリオカートで気をまぎらわしているけど、だからといって心配してないわけじゃない。

マリオカートはひとりでやってもつまらない。

ロザンナがさっきからずっと僕の髪を触ってきて、ほんとにうっとうしい。

ルイージサーキットをフィニッシュしたとき、ママがやってきてジュースのおかわりはどうかと尋ねる。僕は首を振り、「チャーリーとトリはどこ?」と聞く。

ママは僕の右側にあるソファにすわる。片手にワインのグラスを持っている。

「ちょっと出かけてるの」

「誘拐されたの？」

「まさか、そんなことないわ」

「じゃあ、どこへ行ったの？」

ママはしばらく黙っている。もしかしたら、知らないのかも。

「チャーリーはさっき少し頭に血がのぼって、それでニックの家に行ったのよ」

ニックはチャーリーのボーイフレンドで、しょっちゅう家に来ている。ふたりはいつか結婚すると思う。そうすれば自分たちだけの家を持てて、お互いの家を毎日行ったり来たりしなくてすむから。

僕はコントローラーを置く。チャーリーは最近いらいらすることが多い。心の病気にかかっているからだ。でも、自分の気持ちをジェフっていう専門のお医者さんに話すことでだんだんよくなっていってるとママは言っている。ジェフってかっこいい名前だ。

「それって心の病気のせい？」

「……まあ、そうね」

「すぐによくなるの？」

ママはワインをひと口飲む。「すぐにというわけにはいかないのよ。時間がかかることなの。でも、早くよくなればいいわね」

「トリはどこ？」

「チャーリーがそろそろ家に帰りたいかどうか、見にいったんだと思う」

「そっか」

「ママが……あまりよくないことを言っちゃったから」ママはそう言って、頬杖をつく。「チャーリーに」

そのとき気がついた。ママはすごく悲しそうな顔をしている。こんなことはめずらしい。僕がおもちゃのトラクターをリビングの出窓のところに置きっぱなしにしたり、車の中で騒ぎすぎたりしたときに、怒ったり文句を言ったりすることはあるけど、悲しそうにしているところはあんまり見たことがない。

僕は床から立ち上がり、ママのところまで行ってハグをする。誰かが悲しんでいるときにはこうしなくちゃ。

ママが笑って僕の頭をなでる。「まあ、オリバー。大丈夫よ」

「ごめんなさいって言えばいいんだよ。誰かによくないことを言ったときは、そう言ってあやまるんだ」

「ほんと、そのとおりね」僕が顔を上げると、ママは笑顔になっている。僕のハグが効いたんだと思う。

そのとき、玄関のドアが開く音がした。

すぐにリビングを出て廊下を走っていくと、そこには靴を脱いでいるトリとチャーリーがいた。ふたりとも雨でずぶ濡れになっている。僕はチャーリーに駆け寄った。

家族の中で、今でも僕を抱き上げてくれるのはチャーリーだけだから。チャーリーは僕を見るとにっこり笑って腕を広げ、僕を空中に高く持ち上げる。「おっと、すごく重くなってるぞ。まるで象みたいだ」

「象じゃないもん」

トリが僕の髪をくしゃくしゃにする。だけどロザンナのときみたいにいやじゃない。「いくつになったら、どこへ行くにも抱っこしてもらうのをやめるつもり?」

少し考えて答える。「二十七歳」

ふたりとも笑い、チャーリーは僕をリビングまで運び、トリもあとからついてくる。部屋に入ると、チャーリーは僕を下ろしてママのところまで行きハグをする。とってもいいことだ。ハグはいつだっていろんなことをよくしてくれるから。

チャーリーとママは、それからキッチンに行く。話し声が聞こえるけど、何を話しているかはわからない。ママが、さっき僕が言ったみたいにごめんなさいと言ってるといいなと思う。

トリがさっきとは別のソファにすわり、僕はそのとなりにすわる。「僕たち三人がそろっていれば、いろんなことがよくなるんだよ」

トリが僕を見る。「たしかに」

「どうして出ていったのさ。すごくたいくつだったんだよ。今年のクリスマスはずっとつまらなかった」

トリはまだ僕をじっと見ている。「そうね……いろんなことがありすぎた」

それってどういうことだろう。はっきりとはわからない。

「だけど、わたしもチャーリーも、二度とどこへも行かない。約束する」

「そんな約束できないよ。だって学校に行かなきゃならないでしょ」

「そうね、じゃあ次にどこかに行くときは、オリバーに言ってから出かけることにする」

「オーケー。それと、ぜったいに帰ってくるって約束してよ」

トリはにっこりする。「わかった。必ず帰ってくる。約束する」

「よかった」

きょうだいが誰もいないのはどんな感じだろう。きっとすごくつまらないと思う。兄さんや姉さんがいなかったら、誰が一緒に遊んでくれたり、高いところにあるものを取ってくれたりするんだろう。誰が僕を抱っこして運んでくれるんだろう。ふたりがいなければ、家の中には空っぽの部屋がふたつできて、そこに幽霊が住むんだろう。幽霊は好きじゃない。

「今からマリオカートやる?」僕は言う。

「うん」トリはまた僕の髪をくしゃくしゃにする。「今からやろう、三人で」

ニック・ネルソン
クリスマスにほしいもの
— 子犬
— 新しいラグビー・シューズ
— 文房具
— ケーキのレシピブック
— オレオ・デイリーミルクバー

チャーリー・スプリング
クリスマスにほしいもの
・新しいヘッドホン
・新しい携帯
・ドラムスティック
・図書カード
・？？？

トリ・スプリング
クリスマスにほしいもの
・新しいノートパソコン
・パソコンケース
・魂

だいすきな
サンタさんへ
ぼくはあたら
しいマリオ
カートとトラク
ターがほしい
です。
オリバー・
スプリング

NICK AND CHARLIE
THIS WINTER
RADIO SILENCE
LOVELESS
HEARTSTOPPER
I WAS BORN FOR THIS
SOLITAIRE
HEARTSTOPPER

Special contents

アリス・オズマン デビュー小説
『ソリティア』1章より

Solitaire

ソリティア

「そこであなたの欠点は、すべての人を憎むという性質なのでしょう」
「そしてあなたのは」と彼は微笑して答えた。「すべての人のいうことを故意に誤解することですね」

——『高慢と偏見』ジェイン・オースティン
（河出文庫・阿部知二訳）

一章

談話室に足を踏み入れたとたんに気づく。わたしを含めてここにいるほぼ全員が、死んだような顔をしている。聞くところによると、クリスマスのあとに鬱っぽくなるのは完全に正常で、一年でいちばん〝ハッピーな〟季節を過ごしたあとに、抜け殻状態になるのはよくあることなんだそうだ。だけどわたしの場合、この憂鬱な感じはクリスマス・イブやクリスマス当日とそれほど変わらない。もっと言うと、クリスマス休暇に入ってからずっとこんな感じだった。年が変わってまた学校がはじまった、ただそれだけのことだ。

そこに立っていると、ベッキーと目が合う。

「トリ」ベッキーが言う。「どうしたの、死にそうな顔して」

ベッキーもクラスのほかの子たちも、コンピューター・デスクの回転椅子にすわって、部屋のあちこちに散らばっている。休暇明け初日の今日、新しい髪型やメイクがシックス・フォーム中を席巻していて、自分が急に浮いた存在に思えてくる。

椅子に腰を下ろし、おもむろにうなずく。「正解。というか、もう死んでるかも」

ベッキーがこっちをちらっと見てすぐ目をそらし、わたしたちはおかしくもないのに声を上げて笑う。わたしが完全に無気力なことに気づくと、ベッキーはすーっといなくなる。わたしは机に顔をふせて、半分眠りに落ちる。

わたしの名前はヴィクトリア・スプリング。頭の中で勝手に妄想をふくらませて、ひとりで落ち込むタイプ。好きなのは、寝ることと、ブログ。わたしはいつか死ぬだろう（ちなみに、まだ死んでない）。

ベッキーこと、レベッカ・アレンは、現時点ではおそらくたったひとりの友達だ。たぶん親友でもある。そのふたつが関連しているのかどうかは、まだよくわからない。ベッキーはすごく長い紫色の髪をしている。最近気づいたことだけど、髪が紫だとそれだけで人目を引いて、ティーンのコミュニティでは誰もが知る有名人になる。顔はよく知っているけど話したことはない、というたぐいの。とにかく、ベッキーはインスタのフォロワーだけはすごく多い。

ベッキーは今、同じグループのイヴリン・フォーリーと話している。イヴリンは、髪がぼさぼさで、個性的なネックレスを着けているから、〝変わり者《オルタナティブ》〟と見なされている。

「問題は、ハリーとマルフォイのあいだに性的な緊張があるかどうかね」イヴリンが言う。

ベッキーはイヴリンのことがほんとうに好きなんだろうか。気が合うふりをしているだけなんじゃないだろうか。そういうことって、けっこうあると思う。

「そんなのファン・フィクションの世界だけよ、イヴリン」ベッキーは言う。「妄想は、頭の中と検索履歴だけにして」

イヴリンは笑う。「仮定の話よ。だって、マルフォイは最後にはハリーを助けるじゃない。じゃあどうして七年間もハリーをいじめてたの？　ハリーのことが好きだからよ！」最後の言葉は、単語ひとつごとに手をたたいて言う。それで説得力が出るわけじゃないのに。「よく言うでしょ、好きな子ほどいじめたくなるって。そういう心理があったのは、間違いないわ」

「イヴリン」ベッキーが言う。「第一に、ドラコ・マルフォイが救済と理解を求めて苦悩する、ある種の美しい魂の持ち主だというファン・ガール的な考えは、とうてい受け入れられない。彼はただのひどい差別主義者よ。第二に、好きだからいじめるっていうのは、DVの根底にある考えそのものだからね」

イヴリンは気を悪くしたようだ。「ただの小説よ。現実の話じゃないわ」

ベッキーがため息をついてこちらを向くと、イヴリンもわたしを見る。ここはわたしが何か言わなきゃならないところらしい。

「はっきり言って、ハリー・ポッターなんてくだらないわ。そろそろみんな卒業したほうがいいと思う」

ベッキーとイヴリンがわたしをじっと見ている。どうやら空気の読めない発言だったみたい。それで、ちょっとトイレと言って席を立ち、そそくさと談話室のドアを出る。ときどき、人間なんてきらいだと思う。こういうのって、メンタルにすごくよくない。

★

わたしたちの町にはふたつの高校がある。女子校のハーヴィー・グリーン・グラマースクール（通称〝ビッグス〟）と、男子校のトゥルハム・グラマースクールだ。ただし、どちらの学校も、シックス・フォームと呼ばれる最後の二年間（十二年生と十三年生）は、男子も女子も受け入れる。つまり十二年生のわたしは、とつぜんの男子の流入に直面させられている。ビッグスにおける男子生徒は、伝説上の生き物のような存在で、リアルな男子とつき合うことは、スクールカーストのトップに躍りでることを意味する。だけど個人的には、〝男子問題〟について考えたり話したりするだけで、顔面を撃ち抜きたい気分になる。

たとえそういったことに興味があったとしても、制服のおかげで見た目をつくろうチャンスはほとんどない。一般的にシックス・フォームになると制服を着なくていい学校がほとんどだけど、ビッグスでは着用が義務づけられている。そんなダサい学校にお似合いの、くすんだグレーの制服だ。

自分のロッカーまで行くと、扉にピンクのポスト・イットが貼られていて、そこに左向きの矢印が描かれている。左を見ろということなんだろう。いらっとして左に顔を向けると、いくつか先のロッカーにもう一枚貼ってある。そして、廊下の突きあたりの壁にもう一枚。みんなその前をふつうに通りすぎていく。気づいていないのか、気づいているけど無視しているのか。その気持ちはわかる。

ロッカーからポスト・イットをはがして、次のところまで行く。

わたしはときどき、ほかの人が気にもとめないようなささいなことをして、喜びを感じることがある。ほかの誰もやっていないというだけで、何か重要なことをしている気がするから。

今回のこれもそのひとつだ。

角を曲がると、ポスト・イットがいたるところに現われはじめる。最後から二番目に見つけたものは、二階にある閉鎖されたパソコンルームのドアに貼られていて、中を指す矢印が描かれている。ドアの窓は内側から黒い布で覆われている。このパソコンルームC16は、改装のため去年閉鎖された。だけど、今のところ手をつけられる気配がない。ほんとうのことを言うと、そういうのって少し悲しい気分になる。でもとにかく部屋に入り、うしろ手にドアを閉める。

正面の壁に横長の窓があり、大きな四角いコンピューターが並んでいる。一九九〇年代にタイムスリップしたみたい。

最後のポスト・イットがうしろの壁に貼られていて、近づくとＵＲＬが書かれている。

SOLITAIRE.CO.UK

SOLITAIRE――ソリティアは、ひとりでやるカードゲームだ。以前はよくＩＴの授業中にこっそりやっていた。たぶん授業をまじめに聞くよりも、わたしのパソコンのスキルに貢献してくれたと思う。

そのとき、誰かがドアを開けた。

「うわっ、すごいな。なんだ、このコンピューター。犯罪級の古さだ」

わたしはゆっくり振りかえる。

閉まったドアの前に、ひとりの男子が立っている。

「ダイヤルアップの接続音が聞こえてきそうだな」そう言って部屋をぐるりと見回して、ようやくここにいるのが自分だけでないのに気づいたようだ。

見た目は可もなく不可もなく。どこにでもいるような男の子だ。いちばん目立つ特徴は、太いフレームの大きな四角いメガネ。まるで映画館の３Ｄメガネみたい。背が高く、髪は横分けで、片手にマグカップ、もう片方の手に学校のプランニング・ノートと一枚の紙を持っている。

わたしの顔をまじまじと見つめるうちに、彼の目がぱっと輝き、大げさじゃなく二倍の大きさになる。まるで獲物を見つけたライオンみたいに、ものすごい勢いで突進してくるから、わたしは怖くなって後ずさりする。彼は前のめりになって、わたしの顔から数センチのところまで顔を近づける。大きすぎるメガネのレンズにわたしが映り、その奥に片方がブルー、もう片方が緑の瞳が見える。虹彩異色症《ヘテロクロミア》だ。

彼はニカッと笑う。

「ヴィクトリア・スプリング！」大声で叫び、両手を空中に振り上げる。

なんなの、この人。頭痛がしてきた。

「君はヴィクトリア・スプリングだよね」彼はそう言って、手に持った紙をわたしの顔の前につき出す。それは写真だ。わたしの。写真の下には小さな文字でこう書かれている。〝ヴィクトリア・スプリング、11Ａ〟職員室のそばの掲示板に貼られていたものだ。十一年生のとき、わたしは学年委員だった。誰もやりたがらなかったから、しかたなく引き受けた。学年委員全員が写真を撮られて、わたしのはかなりひどい。髪を切る前だったから、顔がどこにあるかもわからない。まるで『リング』の貞子だ。

わたしはブルーの目を見つめる。「掲示板からはがしてきたの？」

彼は一瞬ひるんで、わたしのパーソナル・スペースから少しだけ退いた。目を輝かせた笑顔はそのままで。「知らないやつが君をさがしてたから、手伝うって言ったんだ」そう言って、プランニング・ノートであごをトントンたたく。「金髪の男子。ぴたぴたの細いパンツで……自分がどこにいるかもわからないみたいに、やみくもに歩き回ってた」

男子に知り合いはいないし、金髪で細身のパンツと言われてもまったく心当たりがない。

わたしは肩をすくめる。「どうしてわたしがここにいるとわかったの？」

彼も肩をすくめる。「偶然だよ。ドアに矢印があったから入ってきたんだ。ミステリーっぽいなと思ってさ。そしたら、君がいた！　なんという運命のいたずら！」

彼はマグからひと口飲む。

「君のことは前から知ってたよ」笑顔のままで言う。

わたしは目を細めて彼の顔を見る。そりゃ、廊下ですれ違ったことくらいはあるかもしれない。でも、このへんてこなメガネは一度見たら覚えているはずだ。「わたしは知らないわ」

「べつに意外じゃない。僕は十三年生で、顔を合わせる機会はあまりないからね。それに、去年の九月に転校してきたばかりなんだ。十二年生まではトゥルハムにいた」

なるほど。わたしが人の顔を記憶にとどめるのに、四か月は短すぎる。

「それで」彼がマグカップをたたきながら言う。「ここで何があるの？」

わたしは彼の正面から一歩脇に寄り、壁に貼られたポスト・イットをぶっきらぼうに指さす。彼が手を伸ばして、それをはがす。

「Solitaire.co.ukか。おもしろい。ここにあるコンピューターを起動させて、何のURLか確かめてみてもいいけど、インターネット・エクスプローラーが立ち上がる前に僕たちの寿命が尽きるってこともありえるよ。全財産賭けてもいい。ここにあるコンピューターには、ぜんぶウィンドウズ95が入ってるね」

彼は回転椅子に腰を下ろして、窓の外に広がる郊外の風景を見つめる。すべてが炎に包まれたみたいに明るく照らされている。町の向こうに、はるか田園地帯が見渡せる。わたしも見ていることに、彼が気づく。

「僕たちを誘いだそうとしているみたいだ」そう言って、ため息をつく。「今朝、学校に来る途中で、おじいさんを見たんだ。ヘッドホンをしてバス停にすわって、両手で膝を叩いて空を見上げてた。君も見たことがあるだろ？　ヘッドホンをしたおじいさん。何を聴いてたんだろう。クラシックだと思うかもしれないけど、どんな曲だっておかしくない。悲しい音楽かもしれない」彼は脚を上げて、テーブルの上でクロスさせる。「そうじゃなければいいのに」

「悲しい音楽って悪くないわ。ほどほどなら」

彼は椅子を回してわたしをまっすぐに見て、ネクタイを直す。

「間違いない。君はヴィクトリア・スプリングだ。そうだね？」質問というよりも、とっくに知っているみたいに言う。

「トリよ」わたしはわざとそっけなく言う。「わたしの名前はトリ」

彼がブレザーのポケットに両手を突っ込み、わたしは腕組みをする。

「前にここに来たことは？」彼は尋ねる。

「ないわ」

彼がうなずく。「おもしろい」

わたしは目を見開いて首を振る。「え、何が？」

「何がって、何が？」

「何がおもしろいの」まったく興味がないことが伝わればいいけど。

「僕たちはふたりとも同じものをさがしてここに来た」

「さがすって、何を？」

「答えだ」

わたしは眉を上げる。彼がメガネ越しにわたしをじっと見る。「ミステリーに興味はないの？　答えを知りたいと思わない？」

そのとき初めて気づく。べつに知りたいとは思わない。なんなら、今すぐここから出ていってもかまわない。そうすれば、わけのわからないこのＵＲＬとも、めんどくさいこのおしゃべり男とも関わらなくてすむ。

だけど、こんなふうに一方的に言われっぱなしはしゃくだから、ブレザーのポケットから携帯を取りだして、アドレスバーにＵＲＬを打ち込み、ウェブページを開く。

ページが現われたとたん、拍子抜けして笑いだしたくなる。何も書かれていないブログ。いたずらのために作られたページだろう。

今日はなんてくだらない、意味のない日なんだろう。

わたしは携帯を彼の顔に突きつける。「謎が解けたわよ、シャーロック」

彼は、最初は冗談だと思ったのか笑顔のままでいたけれど、携帯の画面に目を落とすと、信じられないというような茫然とした顔で、わたしの手から携帯をひったくる。

「これは……空のブログだ」わたしではなく、自分自身に言っているみたいで、なぜかとつぜん(自分でも不思議なくらい)彼がものすごく気の毒に思えてくる。だって、とても悲しそうな顔をしてるから。彼は頭を振って、わたしに携帯を返す。なんと言葉をかければいいんだろう。彼はこの世の終わりみたいな顔をしている。

「えっと……」わたしはそわそわと脚を動かす。「そろそろ教室に帰らなくちゃ」

「ちょっと待って！」彼が椅子から立ち上がり、わたしたちはまともに向き合う。

しばらく気まずい沈黙が流れる。

彼は目を細めてわたしを見て、次に写真をじっと見る。それからもう一度わたしと写真を見くらべる。

「髪が短くなってる！」

わたしは唇をかむ。「ええ」皮肉をぐっとのみ込み、ふつうに答える。「切ったの」

「前はすごく長かったのに」

「そうね」

「どうして切ったの？」

夏休みの終わりに、わたしはひとりで買い物に行った。シックス・フォームになるにあたって必要なものがたくさんあり、母さんも父さんも忙しそうだから、自分ひとりで片づけてしまおうと思ったのだ。問題は、自分が買い物が大の苦手だというのを忘れていたこと。通学用のカバンが古くて破れてきていたので、まずはちょっといいショップを見て回った。リバーアイランド、ザラ、アーバンアウトフィッターズ、マンゴー、アクセサライズなどなど。だけど、そこにあるおしゃれなバッグはどれも五十ポンドくらいして、とうてい手が届かなかった。次にもう少し手ごろな、ニュールックや、プライマーク、H&Mなんかを回ってみた。だけど、気に入ったのは見つからなかった。最終的には、バッグを売っている店ぜんぶを何億回も見て回ったけど、それでも見つからず、ショッピングセンターの真ん中あたりにあるコスタコーヒーのベンチでひと休みすることにした。そのときぼんやり考えた。十二年生になったらやらなきゃならないことがたくさんある。初めて会う人もたくさんいるだろうし、話したことのない人とも話さなくちゃならないだろう。そんなとき、ウォーターストーンズ書店のウインドウに映る自分の姿がふと目に入った。髪で顔がほとんどぜんぶ隠れている。いったい誰がこんなわたしに話しかけようと思うだろう。そう思うと急に、額や頬にかかる髪がうっとうしくなり、肩や背中を覆う髪が虫みたいに身体中をはい回って、わたしを窒息させるように思えてきた。過呼吸ぎみになってきたので、いちばん近くのヘアサロンに飛び込んで、顔が出るようにして肩までばっさり切ってほしいと頼んだ。美容師は尻込みしていたけど、わたしはとにかく切ってくれと食い下がった。通学カバンを買うはずだったお金は、カット代に消えた。

「短くしてみたかっただけ」わたしは答える。

彼が近づいてきて、わたしは後ずさりする。

「それって本心じゃないよね」

わたしはまた笑う。ため息に聞こえるかもしれないけど、わたしにとってこれはれっきとした笑い声だ。「あなた、いったい何者？」

彼は一瞬固まった。そして胸を張り、復活したキリストみたいに腕を広げて、おごそかな声で告げる。「僕の名前はマイケル・ホールデンだ」

マイケル・ホールデン。

「それで、君は何者なんだい、ヴィクトリア・スプリング」

そう言われても、何も頭に浮かばない。だって、それがわたしの答えだから。わたしは無だ。わたしは空洞だ。虚《うつ》ろで何もない。

ケント先生の声がスピーカーからとつぜん鳴り響く。振りかえってスピーカーを見上げる。

「ミーティングをはじめます。シックス・フォーマーは全員談話室に集まるように」

顔を戻すと、部屋は空っぽだった。わたしはそこに立ちつくす。手を開くと、そこにはＵＲＬが書かれたポスト・イットが入っていた。いつの間にわたしの手の中に移動したんだろう。さっきまで、マイケル・ホールデンが持っていたはずなのに。
このときなんだと思う。
すべてがはじまったのは。

★物語は『ソリティア』に続きます……

〈メンタルヘルスについての相談先〉

メンタルヘルスや心の病に関する情報やサポート、
ガイダンスを提供する機関の一覧です。

○厚生労働省 こころもメンテしよう
https://www.mhlw.go.jp/kokoro/youth/

○厚生労働省 知ることからはじめよう みんなのメンタルヘルス
https://www.mhlw.go.jp/kokoro/

○チャイルドライン（18歳までの子ども専用）
https://childline.or.jp/

○摂食障害情報ポータルサイト
https://www.edportal.jp/

○特定非営利活動法人 SHIP
http://ship-web.com/

○にじいろtalk-talk
https://twitter.com/LLinq2018/

○よりそいホットライン
https://www.since2011.net/yorisoi/

※掲載データは2023年2月現在のものです

訳者あとがき

家族ってなんだろう。温かくて、自分を守ってくれて、でも、ときにわずらわしく、本当の気持ちを伝えるのがいちばんむずかしい相手かもしれません。

トリ、チャーリー、オリバーは、スプリング家の三きょうだい。毎年、クリスマスは楽しみにしているけれど、今年の冬はいつもと違います。チャーリーが摂食障害を患っているのです。クリスマス・ディナーに集まった親戚たちの無神経な言動にいたたまれなくなったチャーリーは、家を飛びだしてボーイフレンドのニックの家へ……。

イギリス発のベストセラーLGBTQ+コミック『ハートストッパー』の主人公のチャーリーと、そのきょうだいたちのクリスマスを描いた短編、『ディス・ウィンター』をお届けします。

ニックとチャーリーのピュアな恋愛と、セクシュアリティの多様性を温かい視点で描きだした『ハートストッパー』は、多くのファンを獲得し、二〇二一年にはドラマシリーズとしてNetflixで配信がはじまりました。

本作では、チャーリーと、彼を支えようとする姉のトリ（彼女もまた生きづらさを抱えています）、そしてふたりとは真逆の〝陽〟のキャラクターである末っ子のオリバー、それぞれの視点から、クリスマスの一日が描かれます。

きょうだいそれぞれの語りから伝わってくるのは、お互いを大切に思う気持ち。それでも、追いつめられたチャーリーは、トリとオリバーを残してニックのもとに向かいます。残されたトリのとる行動からは、弟を守らなければと張りつめていた彼女もまた、家族や親戚の中で居心地の悪さを感じ、チャーリーを心のよりどころにしていたことがわかります。母親もまた、チャーリーの不安を理解しているはずなのに、つい口うるさくなってしまい後悔する。家族というのは、ほんとうに一筋縄ではいかないやっかいなものです。

ドラマやコミックではいつも無口で無表情なトリの心の声を聞けるのは、この作品の大きな魅力でしょう。多くのファンが「気になる」「大好き」とＳＮＳで発信する彼女のことを、もっともっと好きになること請け合いです。

そして、もちろん、ニックとチャーリー。このクリスマスの〝事件〟をきっかけに、チャーリーにとってニックがこれまで以上にかけがえのない存在になっていく過程が丁寧に描かれ、読んでいて胸が熱くなります。

ニックが教えてくれるのが、心を開いて助けを求めることの大切さ。本作では、摂食障害やメンタルヘルスの問題が描かれます。チャーリーは専門家の適切な治療を受けていますが、それでも回復は一直線ではなく、よい日と悪い日を繰り返して、長い時間がかかるものなのです。そのことに対する偏見と無理解を、作者は親戚のおじさんやニックのお兄さんというキャラクターを使ってうまく伝えています。

作者のアリス・オズマンは、一九九四年イギリスのケント州生まれ。十九歳のとき、トリを主人公にした『Solitaire（ソリティア）』で小説家デビューします。その中で脇役だったチャーリーとニックに〝恋をした〟アリスは、ふたりを主人公にした小説『Nick and Charlie（ニック・アンド・チャーリー）』と本作『This Winter（ディス・ウインター）』を書き上げ、そののち、『ハートストッパー』よりの連載をウェブ上でスタートさせます（つまり本作は、『ハートストッパー』より先に書かれた、逆スピンオフとも言える作品なのです）。

ほかにも、セクシュアリティの多様性をテーマにした小説を手がけ、二〇二一年には、アロマンティック・アセクシャル（他者に恋愛感情・性的欲求を抱かない）のティーンを主人公にした『Loveless』で、イギリスの文学賞「ＹＡブック・プライズ」を受賞しました。

この本の最後には、彼女のデビュー小説『ソリティア』の第一章を収めています。本作で描かれたクリスマスの休暇が明けた日からはじまる物語です。こちらもトリの魅力がたっぷりつまった作品です。続きを楽しみにお待ちください。

二〇二三年二月
石崎比呂美

HEARTSTOPPER
ハートストッパー

アリス・オズマン　牧野琴子訳

BOY MEETS BOY.
BOYS BECOME FRIENDS.
BOYS FALL IN LOVE.

『HEARTSTOPPER ハートストッパー』は、LGBTQ+をテーマにした青春恋愛コミック。主人公のチャーリーとニックをはじめ、ゲイ・レズビアン・バイセクシャル・トランスジェンダーといったさまざまなセクシュアリティのキャラクターが登場し、性自認についての揺らぎや、親や友達へのカミングアウト、メンタルヘルスの問題など、ティーンエイジャーが抱える悩みや繊細な心情が、リアルかつ丁寧に描かれる。

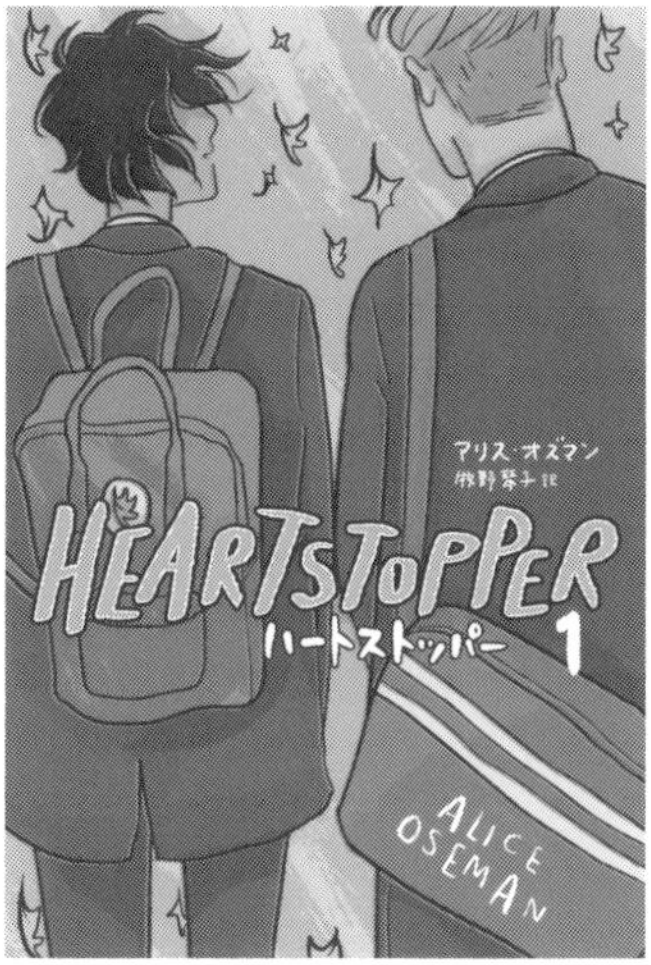

Vol.1

A5 並製 288 ページ
ISBN978-4-908406-96-6

ゲイであることをカミングアウトしているチャーリー・スプリングと、同じ男子校に通う一学年上のニック・ネルソン。偶然隣の席に座った二人はすぐに心を許せる友達になる。そして、チャーリーは自分にチャンスがないと知りながら、ストレートのニックに恋をして……

Vol.2

A5 並製 320 ページ
ISBN978-4-908406-97-3

ニックへの叶わぬ恋心を抱くチャーリー。一方、ストレートだと思っていたニックは、自分がチャーリーに惹かれていることに気づき動揺する。自分は何者なのか……セクシュアリティについて悩むニックは自分自身に向き合うのだった。

Vol.3

A5 並製 384 ページ
ISBN978-4-908406-98-0

お互いの気持ちを伝え合ったチャーリーとニック。でも、家族や友人たちへのカミングアウトは思うようにはいかないし、人生には悩みがたくさん。パリへの修学旅行を通して、二人はお互いが今まで以上に大切な存在となっていく。

Vo.4

A5 並製 384 ページ
ISBN978-4-910352-00-8

公認のカップルになったチャーリーとニック。でも二人にはまだ気がかりな問題があった。ニックの父へのカミングアウト、チャーリーの摂食障害の心配……家族や親友たちもそれぞれに心の悩みを抱えていることを知り、二人は“愛”とは何たるか、たくさんのことを学んでいく——

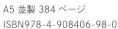

The HEARTSTOPPER YEARBOOK
ハートストッパー・イヤーブック

アリス・オズマン　牧野琴子訳

ベストセラー〈LGBTQ+〉コミック『HEARTSTOPPER ハートストッパー』の世界をより深く楽しめる、豪華オールカラーのファンブック。作者アリス・オズマンの創作エピソードや、キャラクター解説、未発表の新作ミニ・コミックなど限定コンテンツ満載。

A5 並製 160 ページ　ISBN978-4-910352-52-7

著者

アリス・オズマン

Alice Oseman

作家・イラストレーター。1994年、イギリス・ケント州出身。ダラム大学を2016年に卒業。19歳のとき、デビュー小説『Solitaire』が出版される。普段は存在の無意味さを問いかけながら、ボーっとパソコンの画面を見つめている。オフィスワークを回避するためなら何でもやる。

♡ www.aliceoseman.com
♡ Instagram @aliceoseman
♡ Twitter @AliceOseman

訳者

石崎比呂美

Hiromi Ishizaki

翻訳家。大阪府出身。主な訳書にキャサリン・メイ『冬を越えて』、ロザムンド・ヤング『牛たちの知られざる生活』、ジェニファー・ニーヴン『僕の心がずっと求めていた最高に素晴らしいこと』などがある。

装　丁　　藤田知子
編　集　　小泉宏美

This Winter
ディス・ウィンター

2023年3月24日　初版 第1刷 発行

著　者　アリス・オズマン
訳　者　石崎比呂美

executive producer　Blue Jay Way

発行者　後藤佑介
発行所　株式会社トゥーヴァージンズ
〒102-0073　東京都千代田区九段北4-1-3
電話：(03) 5212-7442
FAX：(03) 5212-7889
https://www.twovirgins.jp/

印刷所　中央精版印刷株式会社

ISBN 978-4-910352-64-0

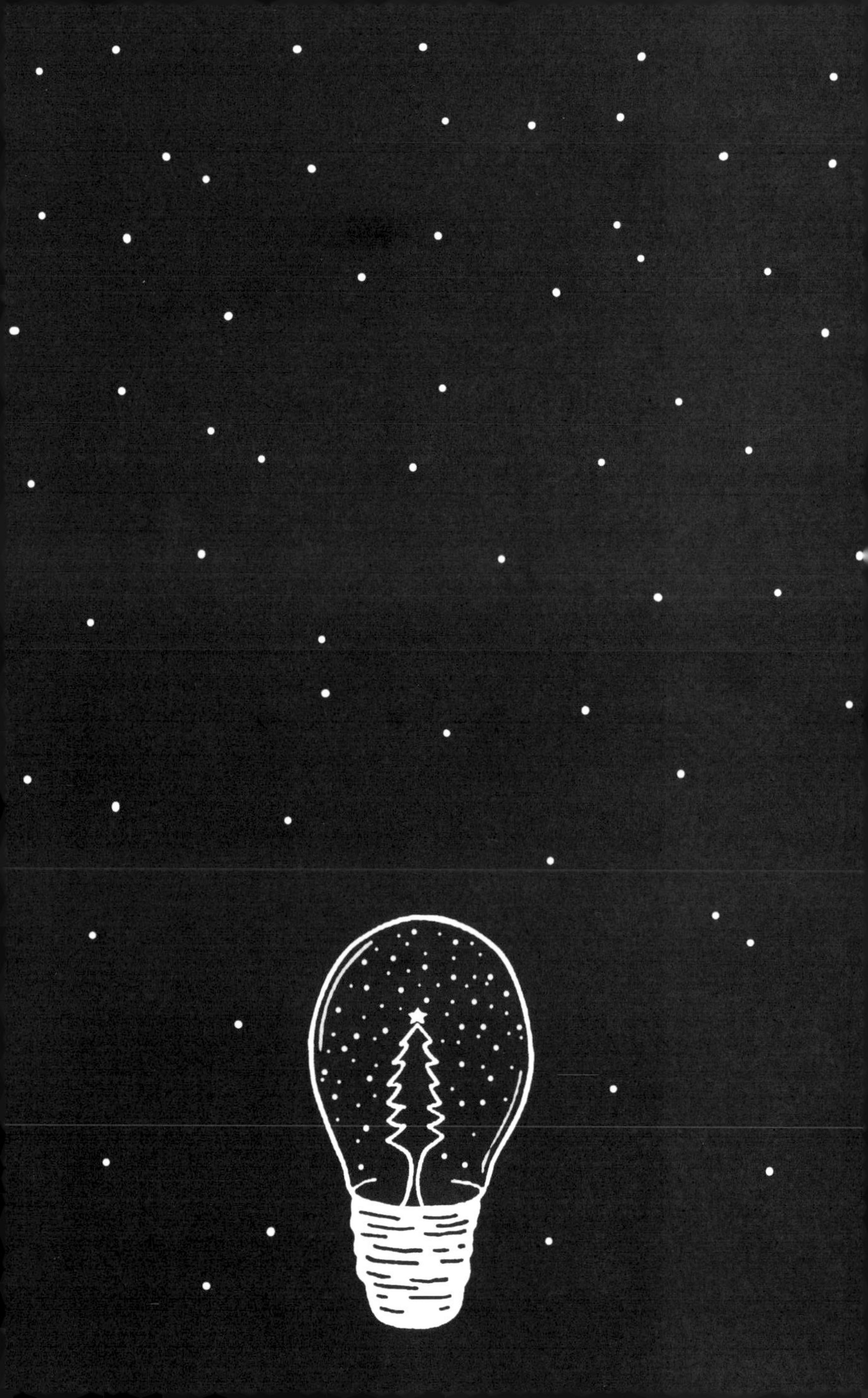